NOS
AMOURS
DIFFICILES
MAIS NÉCESSAIRES

D0583179

Josette Stanké

NOS AMOURS

DIFFICILES
MAIS NÉCESSAIRES

Stanké

Données de catalogage avant publication (Canada)

Ghedin-Stanké, Josette, 1931-

   Nos amours, difficiles mais nécessaires

   ISBN 2-7604-596-6

   1. Amour.   2. Connaissance de soi.   I. Titre.

BF575.L8G49   1997   152.4'1   C97-941304-4

Couverture et illustrations : Christian Tiffet
Infographie: PAGEXPRESS

Les Éditions internationales Alain Stanké bénéficient du soutien financier du Conseil des Arts du Canada pour leur programme de publication.

©Les Éditions internationales Alain Stanké, 1997

Tous droits de traduction et d'adaptation réservés; toute reproduction d'un extrait quelconque de ce livre par quelque procédé que ce soit, et notamment par photocopie ou microfilm, est strictement interdite sans l'autorisation écrite de l'éditeur.

ISBN 2-7604-596-6

Dépôt légal: Bibliothèque nationale du Québec, 1997

Les Éditions internationales Alain Stanké
1212, rue Saint-Mathieu
Montréal (Québec) H3H 2H7
Tél.: (514) 935-7452
Téléc.: (514) 931-1627

IMPRIMÉ AU QUÉBEC (CANADA)

À

Anna, l'annonciatrice, ma grand-mère

Éric, ma passion de mère

Carl, son fils, mon goût de bonheur

Alain, l'initiateur sans merci mais non sans amour.

Table des matières

Fragment VI

Fragment VII

Fragment VIII

Avant lire

C'est principalement à l'occasion d'histoires amoureuses déconcertantes et douloureuses que nous sommes amené à retourner là où s'enracinent nos afflictions. Le bonheur à retrouver est la force qui enclenche l'impulsion. D'où vient que ce bonheur soit si vulnérable quand l'amour l'a porté à nous? L'amour si nécessaire, pourquoi n'est-il pas plus généreux, plus sûr, plus durable? Pourquoi ne réussissons-nous pas à peser sur son cours lorsque nous croyons en comprendre les détours? Est-ce que l'amour n'est pas ce que l'on croit qu'il est? Ne se loge-t-il pas où nous l'avons placé? Et l'être choisi, l'idéal d'homme, l'idéal de femme, pourquoi si rapidement et si définitivement ne l'est-il plus ? Savons-nous vraiment aimer ?

Il me semble n'avoir cessé de m'interroger sur l'amour. Le difficile des liens premiers, coupés avant qu'ils ne s'établissent, a-t-il dû demander que je m'en affranchisse ? Ai-je eu besoin, au milieu de l'impossible, de maintenir du possible ? J'ai certainement appelé un autre regard que celui seul de la désolation. Une grand-mère aimante me le faisait percevoir.

Quand même, j'ai longuement entretenu la rancune contre l'indésir et le désamour projetés sur mon existence et, pour m'être fidèle, je me suis vengée en demeurant dans la souffrance. Je voulais qu'ils sachent le malheur qu'ils créaient.

Ce sont ces amours estropiées, les miennes et celles des autres, que l'amour tendre de grand-mère m'a éveillée à penser autrement. Ou du moins à chercher à penser autrement. Ce livre en recueille des fragments que chacun peut poursuivre pour son compte. Par cette mise à l'épreuve que représente sur soi le travail intérieur d'un autre, le lecteur peut entrer en lui-même et soumettre à son expérience et à sa réflexion celles qui lui sont proposées dans ces pages.

L'observation et la compréhension que m'apporte l'accompagnement thérapeutique me montrent plus de semblances que de dissemblances dans les profondeurs humaines. Même dans le désir d'être un individu d'exception, lorsque l'on creuse et examine sans idée préconçue, ce sont nos surfaces qui paraissent les plus discutables et disparates. Jusque dans la complexité qui nous rend unique et singulier, nous partageons des fonds qui nous lient, nous relient et nous allient indubitablement.

L'amour devient ce qu'il est au fil de notre expérience tandis que nous devenons nous-même ce que nous sommes. Il naît de raisons invisibles. Qui sont à la fois celles qui nous fascinent chez l'autre et les mêmes qui bientôt nous en éloignent. Qui peut-être nous en séparent? Réexaminé de la plus profonde manière, ce qui nous irrite et nous blesse est justement ce qui nous révèle le plus indiscrètement à nous-même et nous ouvre aux mystères de l'autre et de l'amour.

Ce retournement existe, je l'ai rencontré. Il advient comme une grâce longuement incubée. La compréhension des obstacles est nécessaire et pourtant insuffisante à l'attirer. L'éveil du cœur fait la différence. Celui-ci ne peut-être fabriqué. Il est à actualiser.

FRAGMENT I

Tomber en amour —
tomber en soi

*S*ans que rien ne le laisse supposer, tomber *en amour,* comme on dit au Québec, est surtout tomber *en soi*. En un soi inconnu ; un autre de soi ; une ombre de soi, une part de soi surprenante, mysté-rieuse, intense, profonde, qui toujours ne dort que d'un œil mais, pourtant, se mêle de tout ce qui nous regarde... L'inconscient, c'est son nom, soudainement foudroyé par *la* rencontre qu'il *re-connaît,* tel un fan-tôme, se lève et, à notre insu, se met à conduire le bal.

Il l'a presque toujours fait, quoique insi-dieusement. À travers nos projections, nos rêves, nos états d'âme, nos actes manqués.

Sa présence ne nous est pas davantage évidente lorsqu'il s'empare de l'événement amoureux qui en nous prend naissance. Il est l'instigateur de ce non-hasard de la rencontre, sera le premier responsable de cette histoire qui commence et deviendra le principal maître d'ouvrage.

Quelque part dans notre psyché, une décision est arrêtée, une personne est aux aguets, prête à succomber. L'ensorcellement voulu aura lieu. Il se trouvera, l'être attendu qui sera reconnu. La rencontre provoquera l'éblouissement, l'émerveillement, l'irrépressible attraction. L'enchaînement prévu sera enclenché. Nous serons amoureux.

Tomber amoureux se passe d'inconscient à inconscient, d'ombre à ombre, d'âme à âme. Autrement, comment aurions-nous pu éprouver tant d'indicible familiarité envers un inconnu ? tant de confiance et d'évidence d'être si bien pressenti et reconnu ? ressentir si peu de frayeur alors même que le lien à l'autre nous faisait — et nous fera bientôt — si peur ?

Le sentiment amoureux est un phénomène partagé par toutes les femmes et tous les hommes du monde, quelles que soient leur culture et leur propre nature. Il n'est pas un caprice ni une création de l'imaginaire, il est une caractéristique humaine, un fait biologique. Une nécessité. Il sert la perpétuation de l'espèce, c'est sûr. Mais combien d'enfants naissent de l'amour lui-même? Si l'amour n'avait pas de raison vitale plus personnelle, quoique universelle, n'aurions-nous pas alors développé une immunité à son égard?

> *Le sentiment amoureux est un phénomène partagé par toutes les femmes et tous les hommes du monde, quelles que soient leur culture et leur propre nature.*

Cette émotion, vraisemblablement la plus intense, serait-elle une pure manifestation de notre inconscient ou lui sert-elle d'alibi? Mais encore, ne répond-elle pas à un simple principe de nécessité qui dépasse notre entendement de surface?

Nous l'amant, nous l'aimé, sommes sous emprise. Sécurisé par des sentiments d'ineffable bien-être, exalté par ceux de complétude et de plénitude, ivre de l'autre qui l'est, bien sûr, de nous, que voudrait de plus notre inconscient?

Il cherche certes à devenir éveillé et conscient. Et lorsqu'il en éprouve l'incitation, il se fournit l'occasion. Lorsque son intention coïncide avec la nôtre — celle du moi conscient —, comme cela advient généralement dans l'avènement d'un amour, il trouve en nous une aveugle coopération.

L'inconscient, par nature, ignore beaucoup de ce dont nous sommes habituellement conscient. Il ne connaît pas le temps. Du moins tel que le mesurent nos horloges et nos calendriers. Il a le sien propre. Un temps autre. Figé, suspendu. Auquel il revient. Qu'il reprend pour le faire reculer ou avancer à son gré. Qu'il réactualise avec les moyens du bord : les situations actuelles, les êtres du moment, qu'il confond avec ceux de l'histoire d'avant.

L'inconscient fait erreur sur la personne, sur les circonstances, mais jamais sur les atmosphères et les états d'âme qu'il leur attribue et qui lui rappellent quelque chose d'essentiel à quoi il reste suspendu. C'est en cela qu'il surréalise nos amours.

À notre entière méconnaissance — autrement l'expérience devenue consciente serait d'un autre ordre —, le passé est repris, quasiment mot pour mot, trait pour trait, dans un texte ancien adapté et enchevêtré au contexte présent. C'est exactement cela, la répétition dans nos vies. Comme si l'être dont on tombait amoureux était une doublure, un être si intérieur qu'il viendrait de notre sang, qu'il serait un parent ou un peu des deux, ou quelqu'un important de l'enfance, et qu'avec lui on renouait un temps et un lien qui ont à peine changé.

Comme s'il fallait pour l'inconscient toujours revenir et reprendre ce qui, pour lui, reste en suspens et lui devient insupportable.

Que poursuit-il donc vraiment?

Parachever ce qui est en attente et qui l'empêche de vivre pleinement et ouvertement pour aller de l'avant, vers ce que nous sommes vraiment et en être conscient?

Dans le temps réel et mesurable, notre histoire amoureuse se poursuit à coup de remémoration et de répétition, auxquelles généralement nous ne prenons pas garde. Et c'est bien dommage !

L'inconscient, qui tient trace de tout, bien au-delà de notre personnelle existence, sait où cela cloche et où il faut remonter pour en partir et avancer. Et il sait nous obliger à le faire.

Peut-être que l'aventure amoureuse — il n'est pas encore question d'amour — est toujours un voyage à rebours où les favorisés sont ceux qui furent bien-aimés. Ni trop ni pas assez. Juste suffisamment. Ce n'est donc pas ceux qui font précisément l'objet de notre observation. Mais ces derniers pourront le devenir en s'ouvrant à l'amour qui réside en eux. Il ne seront plus obligés de revenir et de stagner là où l'amour les a profondément blessés, où leur développement s'est fixé et où leur cœur s'est noué. Ils gagneront du temps pour vivre et aimer.

En attendant, la majorité, nous-même qui sommes à la traîne, nous butons. Nous ne reconnaissons pas encore que nous nous accrochons au passé, aux êtres qui vivent en nous, et à ce que, à travers nos histoires, nous répétons les leurs.

Pour beaucoup, beaucoup d'entre nous, tomber amoureux, c'est tomber *en amour* avec nous-même ; et, avant que nous nous en rendions compte, nous sommes sans lien avec l'autre, isolé dans notre monde.

Jusqu'à ce que se fasse, par notre œuvre perpétuelle, une réelle ouverture intérieure, que s'acquière une tendre intériorité avec nous-même, nous ne sommes concerné que par notre futile et petite personne. Nous n'*aimons* et ne haïssons toujours que nous-même. Tout au long de ce chemin autocentré,

Pour beaucoup, beaucoup d'entre nous, tomber amoureux, c'est tomber en amour *avec nous-même ; et, avant que nous nous en rendions compte, nous sommes sans lien avec l'autre, isolé dans notre monde.*

nous rencontrons les passions et les êtres avec les traits prédestinés à nous faire retrouver les chaînes que nous avons à briser.

Nous le pourrons, si là est notre plus ferme intention.

Que, intellectuellement, nous rattachions nos mille manières de déformer l'amour au développement affectif, à l'apprentissage de liens familiaux dysfonctionnels, aux transmissions entre les générations, aux répétitions léguées et acquises, aux causes et effets du karma, aux traits et aux faits des êtres rencontrés, tout pourrait bien être médiatisé et supervisé par l'inconscient de chacun et de tous. Une autre conscience qui s'alimente à une sagesse collective et fait le jeu de l'Amour à travers nos amours particulières. Et, lorsque tenant réellement à l'autre pour lui-même et à nous pour nous-même, lucide et consentant, recevant cette conscience et ses révélations sur notre nature véritable, nous apprenions enfin à nous connaître, à nous aimer et à aimer.

Il semble que l'ombre que constitue notre inconscient personnel veille à nous faire savoir quand nous trahissons et notre être, et l'amour. Néanmoins, nous prenons

beaucoup de vie à lui offrir notre distrac-
tion et notre absence.

L'histoire de nos amours n'est-elle
jamais une autre histoire que celle de
notre ombre? Une ombre de laquelle surgit notre lumière. Celle de la conscience
de l'amour.

FRAGMENT II

Aimer trop:
locution nouvelle

*L*a juxtaposition de ces deux mots vient de Robin Norwood, thérapeute californienne, dans son livre *Women who love too much*[1], qui sera traduit par *Ces femmes qui aiment trop*, paru au Québec[2] et en Europe francophone[3]. Depuis, l'ouvrage et l'expression se répandent en vingt-trois langues et à plus de cinq millions d'exemplaires. D'évidence, le sujet touche.

1. Robin Norwood, *Women who love too much*, Los Angeles, Jeremy P. Tarcher Inc., 1985.
2. Robin Norwood, *Ces femmes qui aiment trop*, Montréal, Éditions Stanké, coll. «Parcours», 1986.
3. Aux Éditions de L'Homme-Stanké, 1992.

Toujours et encore pour le lecteur, le propos fait choc. Avec l'expression, se fixe l'idée qu'il n'est pas sain d'aimer plus qu'il ne faut; que ce n'est même pas aimer véritablement; que ce que nous prenons pour le grand amour romantique ne se situe pas là; que glorifier ainsi le sacrifice de soi est une fausse vue de l'esprit. Nous comprenons comme jamais que de se saisir d'un être au travers de *trop* d'empressement est un excès pervers. C'est la première fois que, avec ces mots simples, on vulgarise le problème. Pourtant, nous sommes au fait de la dépendance affective profonde. Une manière de *doper* notre angoisse en s'attachant à un être comme on peut s'attacher à l'alcool, au pouvoir, à la nourriture, aux idées, à la drogue...

Femmes et hommes se rendent compte que de tels rapports captatifs minent plutôt qu'ils n'animent leur être et leur couple. C'est une prise de conscience significative qui, après celle du féminisme, a peut-être égalisé certaines tâches et certains points de vue, mais n'a rien changé dans les attaches souterraines pour lesquelles il faut bien davantage que des modifications d'attitudes.

On retient, entre femmes, que la solidarité remplace la rivalité et, entre hommes, que des partages plus sensibles et plus intimes construisent des liens plus authentiques. Ce sont des ouvertures à l'autre qui vont compter pour l'amour et dans le devenir du couple.

Aimer trop:
est-ce possible?

Spontanément, c'est non. D'évidence, n'est-ce pas du manque que viennent nos plus grandes souffrances ? Si nous regardons de très près, comme il convient lorsqu'il s'agit de nos profondeurs, peut-être serons-nous consterné de constater que ce qui nous blesse est intimement lié à notre carence d'aimer. Vouloir être vu, entendu, considéré, approuvé, n'est-ce pas chercher désespérément à être aimé ? À être accepté sans condition tel que l'on est ? Qui de nous en cela n'est pas concerné et en a eu assez ?

Oui, nous manquons de cet amour simple et accueillant qui nous semble par l'autre dû...

Mais nous manquons désespérément de celui que nous nous devons à nous-même. C'est parce que nous ne nous aimons pas que s'installe un appel sans fin de l'amour de l'autre. De son attention, de son conseil, de sa prise en charge, de son sourire, de son clin d'œil, de son merci, de son pardon, de ses partages, de sa présence, de son regard, de sa main tendue, de son silence entendu...

> *C'est parce que nous ne nous aimons pas que s'installe un appel sans fin de l'amour de l'autre.*

Notre quête serait moins obsédante si nous étions tendre et présent à nous-même. Nous saurions différencier le vrai du faux geste d'amour, qu'il soit nôtre ou celui de l'autre. Jusque-là, nous faisons feu de tout bois. Tout est bon pour ne plus éprouver le manque. Ce qui, du reste, ne le supprime pas.

Dans nos couples, mais aussi dans nos familles, dans l'entourage, dans le monde entier, il y a tant de violence que chacun ne voudrait l'exercer s'il s'aimait et *aimait son prochain comme lui-même...*

Il nous est plus naturel de nous en plaindre que de reprendre à notre compte ce qui fait notre monde. La société est faite de chacun de nous. Le secret de l'amour n'est pas extérieur, il réside en nous ; nous, l'être qui le vit. De tout ce qui nous arrive, nous avons à répondre. Nous sommes des êtres responsables même lorsque nous nous prenons pour victimes.

Si, même pour une petite part, il était possible d'aimer trop, qui s'en plaindrait? Personne ne doute, s'il ne l'avoue, que l'amour est au centre de tout. De nous. Rien que son insatiable besoin en témoigne.

Mais le besoin d'amour n'est pas l'amour.

Aimer trop:
mise en place

L'avènement amoureux est synonyme d'état de panique, d'incandescence de l'être, de vertige exquis, d'éclosion, d'implosion, d'enchantement, de chute dans l'infini...

On se croit choisi par le bonheur.

En un éclair, notre vie bascule. Nous voici tout entier rivé au regard de l'autre. D'un inconnu devenu dans l'instant le plus familier des êtres connus. Il semble que tous nos pas depuis toujours nous ont amené là... Devant l'être que voici. Cette Femme, cet Homme de notre vie.

Frémissant, ébloui, nous voilà porté en une contrée même pas revendiquée. Pour laquelle aujourd'hui nous croyons être né. Confiant, confié, nous fiant à l'autre absolument, au destin qui nous emporte, nous sommes là, donné et abandonné, ardent et bandé devant l'amour qui nous comble. Devant l'œuvre qui se fait en nous pour être déversée sans retenue sur l'être par qui la Providence s'accomplit.

Un être dont on ne sait presque rien, mais que l'on désire pour tout. Une passion qui naît et va durer... ce que durent les roses... L'espace que nous saurons lui ouvrir, l'air que nous saurons lui insuffler, le temps du vertige que nous saurons soutenir. Du plus haut de l'éblouissement, nous allons au plus bas de l'obscur. Le bonheur premier fournit la force de la chute. Encore tout hébété d'un si fol amour, nous nous laissons reprendre par de très vieilles terreurs. Celles de n'être pas digne de tant de bonheur. De n'être pas à la hauteur. D'être incapable de garder l'être sans lequel notre vie ne vaut plus rien.

Vont à l'eau le sentiment de puissance et celui de complétude que nous donnait la rencontre sacrée avec l'amour et qui nous laissaient en un état d'allégresse jamais connue. Maintenant, le doute fait son œuvre de misère. La détresse qui va avec n'est pas loin et nous n'en avons pourtant pas les moyens.

Tout naturellement, notre nature incline vers sa pente. Tout donner, se piller même, répondre à tout repli de l'adoré par une surenchère, *aimer trop* se met en place, qui va dévorer et le lien amoureux, et l'autre, et soi-même...

Aimer trop:
l'expérience vécue

*E*st sous-entendue une dynamique amoureuse qui concerne femme et homme également. On peut la décrire comme une forme excessive d'attachement fusionnel qui nous projette en l'autre que l'on adore tandis que soi on s'abhorre. Déshabité par nous, nous dirigeons toute l'activité de nos pensées, de nos sentiments, de nos émotions, de nos comportements vers une seule personne, de laquelle nous nous saisissons voracement. Tout de nous s'exaspère, s'intensifie, s'agite et s'amasse sur l'être élu, qui devient notre quête absolue. Hors de lui, point de vie. C'est le désert du manque.

Le sentiment d'inutilité absolue. C'est la détresse de n'être plus rien ni personne.

Chez celui qui *aime trop*, l'amour s'est trouvé son lieu : l'autre ; sa cause ; l'autre ; son obsession : l'autre. Il s'y offre sans réserve et sans mesure. La personne de l'autre devient son socle, son centre de gravité, son intérêt unique et premier, l'ultime but de son existence.

C'est épuiser la nature libre et offerte de l'amour à s'agripper aux basques d'une seule personne jusqu'à tarir toute attention, tout souci légitime de soi. Mais c'est ainsi que nous croyons être digne de l'autre et de l'exaltation qui s'empare de nous. C'est aussi par ce sacrifice que nous pensons mériter notre bonheur ou plus exactement celui de l'autre.

Du dehors, l'excès est évident. Du dedans, on met longtemps à l'apercevoir. Tout, de l'implosion, de l'identification passionnelle à l'autre, est si jouissif — n'est-ce pas exactement cela le Grand Amour ? — que rien ne soulève en nous le moindre doute.

Comme si cela allait de soi, nous sommes incontinence d'attention, de

sollicitude, de prévenance, de prompti-
tude à prendre en charge, à répondre de
tout malaise et de toute insuffisance, à
supporter les déboires de l'autre... tandis
que nous demeurons de bois envers nous-
même, indifférent à nos propres besoins,
projets et valeurs.

De l'extérieur, la contradiction frappe.
Ce va-et-vient entre les codes du trop et du
rien dérange. Nous, non. Ce n'est que preuve de notre ado-
ration de l'objet vénéré. Pour un témoin, l'ou-
trance amoureuse, peu, mal ou non partagée, est gênante. Nous, nous n'en avons aucune idée. Nous n'aimons pas les êtres qui sauraient nous aimer.

Il est vrai que personne n'assiste à un amour déversé à flots et en pure perte sans s'identifier malgré soi à la victime ou au profiteur. Et cela n'est pas de tout repos.

Nous sommes fasciné par les déshérités à
sauver. C'est la logique même de notre
problème.

Ce même excès, s'il était partagé,
recevrait l'admiration et l'envie. On se
sentirait en face d'une grâce. Mais

l'injustice dont on est spectateur agace. Il est vrai que personne n'assiste à un amour déversé à flots et en pure perte sans s'identifier malgré soi à la victime ou au profiteur. Et cela n'est pas de tout repos.

Habituellement, on admet que la personne qui se sacrifie soit une femme. Cela ne choque pas la vieille morale ; mais, en situation inverse, on est troublé. Le sens commun n'y trouve plus son compte. Néanmoins, *aimer trop* demeure un comportement très humain et non sexiste. Quand bien même plus de femmes que d'hommes en feraient l'expérience et oseraient le reconnaître.

Aimer trop: *trop donner*

*N*ous donnons notre sexe, notre corps, nos orgasmes, nos pensées, notre passion, notre manque, notre besoin, notre désir, notre âme et le mal que nous nous infligeons pour être source et raison de tout. Les êtres qui *aiment trop* débordent dans le don.

Devant le moindre frémissement de désir, d'envie, de repli de l'autre, nous accourons, ventre à terre, pour répondre, assurer, assumer, pourvoir, consoler... Nous n'en finissons pas de rendre compte de notre serviabilité et même de notre servilité... L'autre, le presque-dieu, existe, là, à notre portée... Il n'en faut pas davantage pour vouer notre personne, notre existence, nos avoirs à sa disposition. Il est de notre obligation de fournir, de résoudre et de consoler. Nous sommes nés pour sauver.

Une tâche jamais acquise. À reprendre toujours et encore pour demeurer l'indispensable, l'inépuisable, l'irréprochable.

Seulement, pour nous, il n'y a personne. Pas même nous.

Puisque même l'autre ne semble pas se réjouir de tant d'efforts et de sacrifices, que poursuit donc et qui lui échappe celui qui persiste?

Autant furent fiévreux et éclatants les commencements, autant le cours de l'histoire se refroidit et se brouille. S'installent des non-dits, des trop-dits et tous les malaises qu'ils construisent. L'irruption de toutes sortes de complications insistantes et répétitives s'accompagne d'un sentiment de n'y pouvoir plus rien ou rien qui n'adoucisse la chute dans l'insupportable. On se dit seulement et alors qu'il faut faire quelque chose.

Que fait-on quand le couple ne va plus bien du tout? Quand les deux ne s'ouvrent pas ensemble à regarder ce qui se passe vraiment? En l'autre, mais surtout en soi.

C'est seulement sur soi que l'on peut agir et c'est de soi que vient profondément la manière d'aimer même si elle dialogue avec celle de l'autre.

La lucidité dont il est question et qu'il faudrait mettre à l'épreuve n'est malheureusement pas le fait des passions irritées.

Généralement, les uns s'impatientent, blâment, accusent l'autre par qui viennent leurs tribulations ; finalement, ils coupent la relation et quittent en toute légitime défense, semble-t-il, pour eux.

Les autres frappent sur ce mur qui les divise et qu'ils commencent à situer en eux. Ils réfléchissent. Ils agissent non contre l'autre ou eux-mêmes, mais à l'intérieur de leurs propres systèmes.

> *C'est seulement sur soi que l'on peut agir et c'est de soi que vient profondément la manière d'aimer même si elle dialogue avec celle de l'autre.*

Rester dans le conflit exténue. Le fuir le remet à plus tard. Le regarder de face garde debout.

Il arrive enfin que nous reconnaissions combien nous nous sommes égaré à trop donner. Au lieu d'une participation, nous avons cherché à prendre contrôle, à conquérir, à amadouer pour mériter que l'on nous aime et que, enfin, il ne nous manque plus rien.

Mais donner ainsi, dissocié du geste de recevoir, est une fraction du mouvement entier de l'amour. Non, le plus crucial, quoi que l'on en pense. S'offrir à recevoir comme l'on s'offre à donner demande et donne bien davantage.

Donner sans être ouvert à recevoir, recevoir sans être prêt à donner, ce n'est que prendre. Et que garder de ce que l'on prend si l'on ne le reçoit pas? Celui qui craint d'aimer et celui qui aime trop orchestrent une musique de sourds.

Fragment III

Amours difficiles mais nécessaires

*N*ous avons tous besoin de nous atta-cher le cœur, le nôtre et celui de l'autre. Vouloir être connu et reconnu n'est rien d'autre que de vouloir être objet d'amour. Cet appel continue l'enfance. Nous étions né pour être aimé. Nous rejouons nos attachements comme nos arrachements. Nous espérons soit la réparation, soit la réitération. L'inlassable-ment répété ne l'est ni pour nous épuiser, ni pour nous torturer, ni pour nous châ-tier, mais pour que soit repris notre développement là où il s'est fixé.

Il semble que la vie, l'amour, l'être aspirent à ce que les nœuds, les arrêts, les fractures, les ombres soient reconnus. Notre erreur est de compter sur l'autre pour le faire à notre place. Notre difficulté est de banaliser ou de sublimer l'aventure amoureuse pour ne pas nous laisser atteindre, alors que l'amour, en ce qu'il est, est tout entier tendu vers notre devenir.

Heureusement, pourrait-on dire, l'intolérable des ruptures nous ramène là où nous ne revenons pas de notre plein gré et c'est dommage ! Là où il pleure en dessous de la colère et du ressentiment. Où la peine s'exaspère et nous désespère. Où heureusement quelque résistance enfin lâche et quelque vulnérabilité enfin craque... Là où se répète la souffrance à travers laquelle l'autre d'avant, la primitive, peut arriver à être reconnue, considérée et enfin reçue.

Nous avons tous besoin d'être ou de devenir aimant.

Nous avons tous besoin d'être ou de devenir aimant. Déjà envers nous-même. Et il arrive que l'on s'y offre. Que l'on pressente que, sous nos drames amoureux, c'est du soi intime qu'il s'agit et duquel il faudrait prendre soin. De très anciennes plaies cherchent à saigner, des chagrins inconsolés veulent être pleurés ; mais aucun ne le peut sans nous. Il n'est pas donné de s'élever directement à la maturité. Celle-ci se développe à travers l'épreuve du lien. Celui à l'autre comme à soi-même. Ce qui est même défi et double aboutissement.

Tout amour met au jour notre dépendance essentielle. Celle initiale, inévitable, qui met notre vie qui naît entre les mains de l'autre. Non parce que l'expérience amoureuse veut demeurer à l'extase de la fusion première, mais pour qu'éclate bientôt l'osmose et que chacun revienne à lui-même, éclose et mûrisse forcément.

Le lien reprend toujours l'identification où elle accroche pour l'amener à la différenciation qui l'attend. Celle entre soi-même et l'autre bien sûr, mais plus subtilement entre le soi étroit de notre personnalité et le Soi, l'être majuscule que nous sommes.

Pour tout cela, l'autre nous est vital. Nous résultons de la coexistence que toute notre vie nous allons partager avec l'autre. Même en ce qui fait notre singularité, nous portons avec notre lignée des mémoires communes inscrites dans notre chair, circulant dans notre sang. Plus universellement, nous héritons tous du fonds commun accumulé par l'humanité. Impossible jamais de nous en soustraire.

Jusqu'à ce que nous cédions l'illusion d'être un sujet autofondé, fond et fin de notre destinée, autosuffisant, sans rien devoir, sans rien engager et sans tenir, croyons-nous, à personne autre que soi, nous ne serons libre qu'isolé. Telle n'est pas la définition de la liberté ni celle de l'amour. Elle est plutôt celle de la coupure et de l'impasse. De l'égocentrisme auquel il manque ce qui anime, donne sens et valeur à notre être et à notre existence : l'amour. L'amour vrai qui ouvre et reconnaît l'autre au même titre que soi et soi au même titre que l'autre.

Nos liens avec l'aimé peuvent avoir beaucoup ou pas de complicités avec l'amour que nous pensons éprouver. Sans le savoir, sans le vouloir, nous transférons sur l'être choisi et notre manière de l'aimer nos modèles affectifs, les atmosphères, les rôles, les attentes, les traits et les comportements appris. Acquis à travers nos premiers liens d'amour : ceux avec nos parents, qui ont déposé en nous ce qu'ils avaient eux-mêmes reçu.

Notre travail personnel est de reconnaître ce qui se passe. Notre amour semble immense et pourtant nos liens sont malades de continuer l'enfance. L'irruption de situations qui nous dépassent, pour lesquelles nous sommes sans bonnes ressources, nous porte à réfléchir.

> *Notre amour semble immense et pourtant nos liens sont malades de continuer l'enfance.*

À chacun il est demandé de quitter ses parents, de dépasser son amour d'enfant, de reconnaître sa part soumise à l'identification, mais aussi d'appeler sa part royale en quête de se connaître, de s'émanciper, de se reconnaître et de grandir avec ce qu'il est.

Fonder sa propre demeure en son être — habiter ses sentiments, assumer ses actes et ses pensées, parler en son nom, prendre sa place et seulement la sienne — est sûrement le projet d'une vie et ne s'accomplit ni sans l'autre ni sans amour. Aller vers soi-même est toujours aller vers l'autre et inversement. Aimer ne se referme jamais sur soi.

Pourtant, nous n'en finissons pas de reprendre le flambeau des générations. L'écho de ce qui nous a été transmis parasite la connaissance de soi et l'expression de notre capacité d'aimer. Cela subsiste tant que nous ne nous ouvrons pas suffisamment à l'expérience qui va en dessous du connu et plus loin. Et nous ne nous ouvrons pas avant d'avoir l'assise suffisante pour nous remettre en cause. Pour nous poser des questions essentielles : Est-ce cela l'amour? Aimer? Mon être, celui de l'autre? Jusque là, loyalement nous répétons et fidèlement nous transmettons le dispositif à nos enfants. L'enchaînement des générations est assuré.

Mais ce n'est peut-être pas cette opiniâtreté que veulent les générations. Plutôt que de les faire piétiner, n'est-ce pas qu'on les fasse évoluer qu'elles attendent? Lorsque nous croyons retrouver le parent en l'amant, ce n'est pas de l'inceste mais un rappel qui dit d'où nous venons, ce que nous aimons et refusons de notre héritage. En rester à l'attrait et à la répulsion ne permet pas d'y voir clair et n'ouvre sur aucun chemin. Nous cohabitons avec des spectres qui ne nous lâchent pas parce que nous ne les lâchons pas. Nous éternisons notre identification et nos amours infantiles parce qu'elles nous sécurisent. C'est tout cela qu'il nous faut reconnaître.

En rester à l'attrait et à la répulsion ne permet pas d'y voir clair et n'ouvre sur aucun chemin.

Plus nous pénétrons notre être et découvrons sa nature, plus nous dénudons des ressemblances avec nos parents et avec nos ancêtres, et moins rarement cela nous fait problème. Nous sommes leur enfant et ceci à jamais. Ce lien-là résiste à tous nos refus. Et nous avons à partir de notre origine...

Ce qui donne sens à notre vie le fait du dedans et à rebours. À travers le temps. À travers nos liens. Les situations et les êtres actuels détiennent les clés du passé. De celui-ci se comprend mieux le présent. Des amours difficiles se tiennent sur notre route parce que ce sont celles-ci qui sont utiles à notre dévoilement. Être aimé et aimant d'un seul et même tenant rend enfin l'amour vivant et nous aussi. Mais cela prend son temps et ses moyens. Que nous aurions avantage à laisser faire.

Fragment IV

Amours complémentaires

*C*elui qui *aime trop* s'attache à celui qui craint d'aimer. Le premier fixe son dévolu sur des êtres qui le lui rendent peut-être mais qui ne peuvent assumer leur engagement amoureux. Ceux-ci craignent d'offrir trop de leur personne, d'ouvrir cette part fragile et emmurée qu'est leur cœur. Ils l'ont fermé à cause d'expériences de souffrance que leurs premiers liens détenaient. En eux veillent des souvenirs négatifs qu'ils n'ont pas eu le pouvoir, enfant, d'éviter, de combattre ou de consoler.

Pas plus que ceux qui *aiment trop*, ces êtres qui maintenant craignent d'aimer n'ont fait l'expérience de liens fondateurs sains et heureux sur la base desquels ils auraient construit leur confiance. Entre les deux, diffèrent des manières de se défendre de beaucoup d'impuissance. Les exubérants partent à l'assaut, prenant le risque de se perdre en *aimant trop*, poursuivant, à leur insu, de mettre l'autre qu'ils s'attachent en lieu et place de leur manque et de leur impuissance.

Les autres restent sur la défensive. Clos, réfractaires à l'émotif, ils entrent en relation ficelés de partout comme si l'amour en les touchant allait les dissoudre. Ils s'arrangent pour prendre de l'autre ce qui sert le mieux leur survie. Le confort qui les endort. Les attentions qui leur sont dues. La générosité qui ne leur demande rien. Le courage qui les met à l'abri. Tout ce qui les rassure sans jamais y parvenir mais qui les garde de l'épreuve de l'autre et de l'amour. Et ils ne reçoivent pas ce qui les mettrait en vie.

Ceux qui *aiment trop* s'attachent à ceux qui ne les aiment ni mieux ni plus qu'ils n'ont été aimés, mais aussi et surtout ni plus ni mieux qu'ils s'aiment eux-mêmes.

Ceux qui ont peur d'aimer s'attachent à ceux qui les gavent d'affectif jusqu'à les étouffer. Comme ils se centrent et s'enferment eux-mêmes pour s'empêcher de vivre.

Ces amours, par leurs opposés, se complémentent pour perpétuer la répétition autodestructrice. À moins que chacun n'en prenne conscience pour lui-même et les deux pour le couple, et qu'ils fassent le chemin intérieur nécessaire, l'amour est mis en échec.

Ces amours, par leurs opposés, se complémentent pour perpétuer la répétition autodestructrice.

Sous mille autres formes nos amours s'emboîtent et nous retiennent dans leurs prisons passionnelles; à travers de chatoyantes nuances, nous faisons erreur sur l'amour même.

Amours besogneuses

Nos amours difficiles sont des amours de besoin fondées sur le manque. À la racine, un déficit de reconnaissance — de désir — de notre existence et puis d'accueil de notre être tel qu'il est, vécu depuis toujours à quelque degré et de quelque façon. En réponse, notre sentiment d'être un être *manqué* pour avoir mérité un tel *manque*. Identifié à la carence que le milieu nous renvoie, nous le reportons sur soi et allons manquer pareillement de reconnaissance et d'accueil envers nous-même.

Nous manquons de ce dont nous avons le plus besoin : créer, entretenir, épanouir des liens de connaissance et d'affection avec notre personne comme avec celles qui nous entourent. Nous demeurons avec un lieu d'absence intérieure. Nous n'avons pas appris à faire de soi un ami, un allié. En place, au-dedans, habitent du silence, des trous de présence, des zones d'ombre. Vécus dans une angoisse souvent insupportable qui s'éprouve en creux dans le ventre, en boule dans la gorge, en tics, en tremblements, en raideurs, en postures insolites, en divers schémas corporels... mais aussi en comportements d'échecs, en croyances défaitistes, en toutes sortes d'humeurs et d'attitudes dont aimer trop et craindre d'aimer sont des formes bien identifiées.

Nous n'avons pas appris à faire de soi un ami, un allié. En place, au-dedans, habitent du silence, des trous de présence, des zones d'ombre.

Le sentiment d'incomplétude qui nous laisse en besoin est inhérent à la nature humaine. Personne ne survivrait à sa mise au monde dans l'isolement ni ne vivrait pleinement seul. Nous sommes fait pour la vie commune même si le retrait occasionnel nous apporte énormément. Mais lorsque la vie ensemble manque de satisfaire les besoins les plus fondamentaux auxquels elle est vouée, nous en sommes profondément et longuement affecté. La permanence des blessures vient de ce que nous allons nous délaisser comme nous l'avons été. Alors que c'était déjà trop d'en avoir été injustement victime.

En *aimant trop*, nous occultons l'insoutenable du manque sous l'incoercible besoin de nous occuper de celui de l'autre. Nous projetons sur son être notre souci, notre inquiétude, notre préoccupation de ce qu'il pourrait manquer et, sous ce flot d'abnégation, nous nions notre malaise profond. Nous sommes absent à notre propre angoisse que, autrement, nous ne maîtrisons pas.

> *En aimant trop, nous occultons l'insoutenable du manque sous l'incoercible besoin de nous occuper de celui de l'autre.*

Mais le soulagement ne vient pas.

Donner reste l'urgence, l'ouvrage inlassable. Qui assure notre survie. Qui attaque notre vie. Pour que ce geste soit fécond, il lui manque l'essentiel : son revers, le mouvement d'ouverture à soi, le risque pris d'être présent pour être réceptacle et source à la fois.

Mais pour cela, il faudrait reconnaître et recevoir notre propre sentiment de manque, les besoins qui ensemble le cachent et l'expriment, et la souffrance et les émotions qu'ils recèlent. Et un inassouvissable désir *d'on ne sait trop quoi* qui est la marque vivante du manque.

De leur côté, ceux qui craignent d'aimer occultent l'insoutenable du trop. Ils ont peur d'être possédés, absorbés, annihilés par l'autre et mis en danger par le besoin qu'ils auraient d'aimer. Ils refusent l'engagement et ils restent dans le même manque que les exubérants.

Fragment V

Amour d'élection

*U*n amour qui naît choisit l'être qui sera son élu. Les subtiles affinités qui subjuguent et retiennent les amants ne sont pas le fruit du hasard ni de la fatalité. Qui entrerait dans une telle résonance avec un inconnu s'il ne décelait, à son insu, ce qui déjà existe en lui? Actualisé peut-être, mais à coup sûr en désir et en besoin de l'être. Ce sont là le suffisant et le nécessaire qui prédestinent les êtres à se rencontrer. À ne pas pouvoir faire autrement que de se cogner l'un à l'autre, que de se reconnaître, que de se vouloir, que de se soumettre à la destinée qui, là, sous leurs yeux, s'accomplit et, que d'être enfin et déjà l'obligé du lien qui se tresse en eux et entre eux.

Ces élus-là ne doutent et ne se doutent de rien. Ils acquiescent à l'appel qui les mobilise, dont ils ne situent pas bien la source — en l'autre ou en eux? — ni l'enjeu qui les rive, les entraîne et les dépasse. Seraient-ils étonnés d'entendre qu'une procession d'ancêtres les attendent, qu'ils ont des projets pour eux?

Nous formons nos couples sur des opposés. Ils sont ce qu'il faut exactement de distance entre les amants pour que le désir naisse, culmine et circule.

> *Nous formons nos couples sur des opposés. Ils sont ce qu'il faut exactement de distance entre les amants pour que le désir naisse, culmine et circule.*

C'est ce que nous ne sommes pas ou croyons ne pas être qui nous attire en l'autre. Qui éventuellement va nous repousser. Mais c'est aussi et davantage ce que nous n'arrivons pas à être, qui veut naître et que nous désirons tant devenir. Tout cela, l'autre, l'opposé, le porte jusqu'à nous, ravi, sans que nous ayons la moindre idée de ce que cela nous propose.

L'opposé, l'autre pôle, c'est pour chacun l'autre en soi, l'inconnu de soi, le convoité ou l'interdit. Mais c'est aussi l'autre pour soi. Cet être-là que l'on rencontre, que l'on désire, que déjà l'on croit aimer. L'événement amoureux destine à nous les deux. Un infini cadeau et un infini défi.

Ce pôle qui nous complète, qui comble notre manque, qui séduit l'autre en soi qui se tait, se terre, se rend absent, se met en retrait et au loin, mais veille et attend la lumière pour son ombre, le réconfort pour sa peur, l'amour pour son désamour, l'autre pour l'amener à soi, c'est l'être que notre cœur élit.

Ainsi regardé, l'opposé ne nous met pas en danger. Il entretient notre désir. Il nous détourne du manque, il fonde de nouvelles ressources. Il est d'autant mieux reçu qu'il est en continuité, même espacée, avec ce qui réside en nous. Si telle est notre aspiration, le pôle de chacun va héler celui de l'autre et les deux vont s'étendre jusqu'à se rencontrer vers une voie du milieu.

Mais l'opposé peut être autrement vu. Comme un contraire. Un inaccessible. Un indésirable. Un inacceptable. Un irrecevable. L'un étant, l'autre ne pouvant pas être. Alors il faut choisir son camp. Pas question de se conjoindre, de s'allier, de s'unir, de se rassurer, de se compléter. On peut se fondre bien sûr et cela donne des attachements symbiotiques, des liens de dépendance où l'on se perd en l'autre, où l'on se prend pour l'autre. Là se tient le difficile. Voire l'impossible. La voie d'écueil de l'amour.

Ce contraire irrite, sème la zizanie. En principe, on a passé sa vie à se l'interdire et l'autre, à ses côtés, le vit gaiement, aisément et dans l'inconscience. C'est inadmissible. Le surmoi ne tolère pas et se cabre. Ce qui fut cause d'irrésistible attrait devient raison de déception, de mépris, de recul, de rejet, de séparation.

Ce qui fut cause d'irrésistible attrait devient raison de déception, de mépris, de recul, de rejet, de séparation.

De petites choses toutes bêtes déchirent une alliance que les amants croyaient pour toujours scellée. On s'attendait à l'harmonie et au confort que donne une communauté de vues, d'actions, de réactions et l'on trouve ce qui depuis toujours nous alarme, nous heurte, nous insupporte, nous met devant l'insoluble. Tandis que les espérances, les volontés, les perspectives entre les amants diffèrent, quelque chose, ou tout, soudainement bascule.

Il y a là du revécu.

Si nous voulons bien examiner ce qui nous est si adverse, nous constatons que ces façons d'être, de faire et de voir de l'autre qui nous exaspèrent résonnent étrangement avec celles que nous avons déjà connues. Chez nos parents, bien sûr, en de mêmes traits et situations qui justement ne nous ont jamais convenu ou ont été tellement convoités mais inaccessibles pour nous.

Mais ces instances ont en elles bien davantage qu'à l'apparence on soupçonne.

Elles ont changé le cours de notre histoire, de notre développement. Elles nous ont obligé à devenir ce que nous ne sommes pas ou à ne pas être ce que nous sommes. Forcément, nous leur en voulons. Personne ne perd de son être sans se révolter intimement et, si cela n'est pas admis, sans accumuler du ressentiment. Et beaucoup de souffrance.

Ces traits responsables, encombrés de vieilles douleurs stratifiées dans la mémoire, meurtrissent notre cœur et notre chair. C'est pourquoi nous réagissons si intensément, si violemment, si déraisonnablement. Chaque fois que devant une situation nous avons une réponse tout à fait illogique et disproportionnée, nous sommes sûr que notre inconscient fait des siennes.

Chaque fois que devant une situation nous avons une réponse tout à fait illogique et disproportionnée, nous sommes sûr que notre inconscient fait des siennes.

Et avec l'aimé, c'est chose facile, puisque nous l'avons justement élu sur ces instances qui nous contraignent par la suite à remettre en scène nos vieux dilemmes.

Nous faisons arriver ce qui doit arriver parce que, dans notre vie, *cela* est déjà arrivé, et que l'être aimé est pour ainsi dire le désigné — et par nous ! — pour que soit ressuscité ce qui doit être réconcilié.

Amour de transfert

*L*e transfert charge chacun et l'amour de ce qui ne leur revient pas. Il leur surimpose des personnes et des instances du passé qui ne les concernent pas. Sous l'emprise de la mémoire, nous ne pouvons empêcher que le transfert se dise, se vive. Nous recommençons des pratiques de toujours. Nous éprouvons de vieux automatismes, de vieilles pulsions. Nous nous protégeons et nous attaquons de pareilles façons avec les mêmes cuirasses et les mêmes armes que lorsque nous étions bébé, enfant ou adolescent.

Le transfert se trompe de personne, de lieu et de situation.

À peine une tonalité, une mimique, un mot de l'autre insinuent-ils un rappel que tout le système se remémore et s'active, et notre réponse automatique est massive. Nous rabattons sur l'aimé tout ce qui appartient aux premiers. Nous quittons le présent pour tomber dans le passé. La mémoire qui n'a que le présent pour se vivre prend toutes les libertés. Plus rien n'est ce qu'il est. Nous redevenons aussi petit que là où l'événement nous ramène. Nous réendossons notre premier moi. Le plus rudimentaire, construit primitivement sur l'identification aux parents. Un moi qui leur demeure aliéné et soumis même s'il est en voie de devenir lui-même. Il y a tout ce qu'il faut pour que le transfert soit assuré, que nous ayons vingt ans, quarante ans, soixante ans ou plus.

Ce qui cause le transfert dans la relation n'est fidèle ni à soi, ni à l'autre, ni au lien d'amour. Il n'est fidèle qu'à la mémoire. Il impose son pouvoir et nous soumet à ses enjeux restés immatures et devenus anachroniques.

Dans la sphère étroite du rejeu, il n'y a place que pour quelques nuances, des aménagements minimes et une liberté dérisoire, ce qui ne s'accorde pas avec la vitalité du couple, de l'amour et des êtres.

Il faudra bien quitter nos parents pour n'être plus seulement des enfants. Pour devenir amants à égalité.

Amour de répétition

*L*a répétition est une mémoire qui se crispe, qui se veut fixe, définitive, qui stoppe le cours du développement, qui se dissimule sous le secret. Elle est si puissante que notre être ne la contrecarre ni ne l'évacue mais la laisse opérer, lui donnant même un coup de main, pensant l'avoir méritée. Elle prend racine dans les liens de sang en traversant les générations, s'inverse contre nous et se continue dans nos liens de cœur. Ceux précisément que nous voudrions libres et neufs.

Elle suit fidèlement la chaîne généalogique, et nous-même la remettons à nos enfants. Elle s'attaque à la construction individuelle, tisse sa toile au quotidien dans la texture de nos liens, trahit notre identité et même notre vitalité. Elle n'est donc pas une utopie.

Une multitude de répétitions sont possibles pour chacun. Celle qui nous choisit nous est intimement compatible. Elle et nous avons une pente commune qui nous prédestine l'un à l'autre. Nous nous convenons. Après coup, nous pouvons dire qu'elle nous a été utile et nécessaire mais que nous l'avons été aussi pour elle. À considérer que l'objectif évolutif d'une répétition soit d'être détectée, travaillée et résolue. Pour le bien de toute la lignée. Et de nous-même, bien sûr.

Qu'on la reconnaisse dans notre existence comme indésir d'origine, désamour essentiel, rejet, abandon, délaissement, viol, violence, inceste, abus, dépendances diverses, à la racine elle atteint la vie et l'être de tous ceux qui la reçoivent et l'exécutent.

Le tragique, justement, est que nous la recevions avec l'existence, que notre filiation l'entretienne, la développe, l'envenime même, que nos rapports l'exaucent, que nous l'intégrions en notre être comme un membre nécessaire, que nous la recherchions en l'autre et la remettions en scène indéfiniment.

Ce mal à répéter à l'identique qui nous blesse toujours, si conforme à toute la lignée, comment se fait-il que nous ne nous en méfions pas? Se laisser meurtrir par quelqu'un, par quelque chose, par soi plus encore, ne se décide pas, ne s'invente pas, ne s'improvise pas... En général, il faut aller très loin pour enfin mettre un halte-là!

Il semble, parmi tant que l'on pourrait dire, que ce que la répétition exige avec autant d'acharnement est que nous nous retournions sur elle. Avec audace, avec courage, avec lucidité, mais aussi avec tendresse. Et lorsque nous pourrons y arriver, elle amenuisera ses efforts et ses effets, elle s'espacera, elle parlera. Et beaucoup. C'est ainsi que nous apprendrons et comprendrons énormément et qu'il y aura des mutations en nous, en nos liens, en

Ce mal à répéter à l'identique qui nous blesse toujours, si conforme à toute la lignée, comment se fait-il que nous ne nous en méfions pas?

nos amours et jusque dans les générations qui nous précèdent et nous suivent.

Nos amours recèlent des mises à l'épreuve dont nous voudrions être dispensé. Nos liens ont des contenus que nous ne saurions imaginer. Souffrir par l'être élu et aimé de ce dont nous avons déjà trop souffert, c'est tout à fait inconcevable et révoltant... Et pourtant !

L'idéal serait que l'aimé qui nous met à l'épreuve sache comment limiter la saignée qu'il provoque. Qu'il ne nous inflige que la juste blessure par laquelle le passé devra être remémoré, qu'il ne provoque que la juste souffrance sans supplément de jugement pour que l'initiale douleur passe et s'apaise. Que chacun soit, pour soi comme pour l'autre, la présence, l'allié, la tendre attention puisque, ce qui arrive à l'un, advient forcément à l'autre.

L'idéal serait que l'aimé qui nous met à l'épreuve sache comment limiter la saignée qu'il provoque.

Le passé auquel chacun ouvre l'accès à l'autre ramène à nos origines respectives. Étape fructueuse, à condition de ne pas y faire son refuge, mais d'y puiser ce qui va rendre l'avenir autre que de demeurer dans la répétition du passé.

Amour d'initiation

Tout amour initie, toujours. Du plus fol au plus sage, du plus provocant au plus extravagant, du plus égaré au plus refusé, chaque forme d'amour, même brouillonne, vaut d'être vécue. Elle nous dénude, elle nous triture, elle nous choque, elle nous déboussole... nous sommes sous son joug. Donné à son épreuve. Haussé à ses cimes. L'amour guette notre défaillance, notre vacillement, notre révolte, notre chute. Là, il nous cause. À nous de lui donner notre oreille intérieure.

Aimer ce qui se donne trop ou trop aisément, c'est peu. Oser aimer la différence, l'étrange, l'inconnu, le difficile, l'impossible est l'œuvre de l'amour. C'est au-dedans qu'il nous initie. Qu'il nous abîme, qu'il nous hisse... L'amour nous fait dépasser la mesure.

Aimer ce qui se donne trop ou trop aisément, c'est peu. Oser aimer la différence, l'étrange, l'inconnu, le difficile, l'impossible est l'œuvre de l'amour.

Non que l'amour change notre personnalité, mais il lui ouvre un autre espace et par cela transforme notre état. En état d'amour, se lève, s'éveille ce qui de notre être veut advenir. Veut devenir. C'est peut-être cela le miracle de l'amour.

Nos amours vivent de nous. Elles naissent, prospèrent, périclitent sans différer en rien de nous. Nous nous servons d'elles pour compenser, réparer, guérir, répéter ce qui a fait l'essentiel du passé. Nous manipulons l'amour et le dénaturons en adorant, en adulant, en idéalisant ce qui le concerne. En cela nous perpétuons de vieux dénis, cachons de vieilles peurs et de grands ressentiments. Mais, si nous y sommes prêt, nous apprenons à souffrir l'éphémère, la perte, mais aussi à nous offrir à la grandeur et au bonheur de l'amour. Ce n'est pas chose facile que de recevoir l'avènement de l'amour et l'événement de l'autre. Même si cela aurait pu être donné avec l'existence !

Mais l'amour aime. Il nous attend. Il travaille à déployer notre être. Il pose l'essentielle question du lien à soi et à l'autre qu'il considère mêmement.

Mais avant, il demande énormément.

Reconnaissance d'une répétition particulière

Elle, profondément amoureuse. Lui, certainement aussi. Mais elle, trahie par lui. L'abandon l'effondre. Elle y détecte du revécu. Qu'elle examine. Celui de sa venue au monde indésirée et de son existence remise aux soins de parents nourriciers. Qui meurent trop tôt. Deux abandons *volontaires*, deux autres involontaires. Qu'elle reconnaît charger son abandon actuel.

Elle se ressent être leur victime.

Elle fouille. Découvre comment, en elle-même, l'abandon l'a atteinte. Elle s'est interdit de pleurer à l'âge de deux ans et demi. Elle s'est coupée de la douleur des pertes et des abandons. De l'intimité. Elle s'est faite *dure* pour *durer*, selon ses mots d'enfant. Impitoyablement, elle s'est obligée à trop et ne s'est épargnée de rien.

Elle se ressent être victime d'elle-même.

Elle creuse, la lignée maternelle, celle du père lui étant trop lointaine. Elle découvre que sa mère a été depuis sa naissance affectivement délaissée par son propre père. Que sa mère, sa grand-mère à elle, après avoir été orpheline de mère s'est trouvée abandonnée par son père.

Impitoyablement, elle s'est obligée à trop et ne s'est épargnée de rien.

Remonter plus encore jusqu'à la cause première lui semble invalide. Elle sait en elle que la répétition d'abandon agit. Elle le sait dans son ventre et dans sa gorge qui retiennent des cris et des sanglots.

Elle comprend qu'il n'y a que des victimes. Cela ouvre son horizon coupé par l'abandon.

À suivre grossièrement la veine de la répétition à travers ces trois générations, elle remarque que l'abandon se joue autour des hommes qui n'assument pas leur paternité. Leur sexualité? Leur masculinité? Leur sensibilité féminine? Tandis que ce sont des femmes abandonnées lorsqu'elles étaient enfant par le père qui les choisissent, avec qui elles ne peuvent pas, non plus, jouir de leur propre maternité. De leur sexualité? De leur féminité? De l'harmonie entre leur énergie masculine et féminine? Avec qui elles transmettent la répétition d'abandon à leur enfant.

La complémentarité des couples qui reprennent le modèle hérité handicape la fécondité de la lignée.

Elle mesure comment l'abandon s'insinue et s'étend, et réalise combien il a de routes perverses!

Elle constate qu'elle-même a choisi, en premier mariage, un homme peu doué pour le soin paternel qui lui-même a été délaissé enfant par un père désintéressé. Elle a exécuté le message des générations.

Mais c'est en elle et jusqu'en son lien d'amour pour l'homme qui la délaisse qu'elle veut reconnaître et suivre l'engrenage. Elle parvient très lentement à se représenter comment ce dispositif d'abandon l'attaque et la coupe d'elle-même. Elle inventorie. Elle approfondit. Elle accueille. Elle devient présente et attentive à elle-même. Là où elle n'a pas sécrété de parole et de lien intérieurs, elle *voit* comment l'aimé s'est lui-même trouvé sans parole et sans lien avec elle. Là où elle s'est abandonnée, elle l'a abandonné. Il l'a abandonnée de là où il s'est senti lui-même abandonné. Un abandon qui, pour lui aussi venait de loin.

Et ce n'est pas tout à fait insensé pour la répétition de la lignée qu'il l'ait délaissée pour tenter d'affirmer sa masculinité.

La trahison de l'aimé est le miroir de sa trahison à elle, qui répètent les trahisons de leurs lignées. Tandis qu'elle le reconnaît, elle ne s'éprouve plus abandonnée ni *abandonnable*.

Cette conscience-là clôt le relais de la transmission. Il n'y aura plus de victimes de cette répétition. Ses descendants comme ses ascendants en sont délivrés.

FRAGMENT VI

De la difficulté de recevoir

*E*n état de présence et d'ouverture, l'amour coule de l'être en un mouvement continu et unifié où l'acte de donner et celui de recevoir sont indissociés. À donner, l'on reçoit ; à recevoir, l'on donne.

Le geste n'a pas à être parfait. Il a à être conscient avec ses lacunes et ses excès. Alors il n'égare pas, il ne trahit pas, il ne vide pas. Il laisse encore et toujours à donner et à recevoir.

> *À donner, l'on reçoit ; à recevoir, l'on donne.*

Mais ce n'est pas le plus facile. Les uns ne savent que donner, les autres qu'accaparer. Là se dit notre tentative de réparer notre passé.

Faire d'un autre sa seule raison d'exister, sa source exclusive de valeur, sa tâche quotidienne est autre chose qu'aimer. C'est *trop donner* mais c'est principalement *trop demander*.

D'autre part, se soustraire au souci de bienfait que le don devrait procurer, se fermer à contempler son effet sur le visage aimé, s'interdire d'accueillir tout renvoi, c'est priver l'autre et soi de puissants échanges. C'est aussi soustraire le couple à une grande part de l'œuvre amoureuse.

Tout donneur donné à son geste mais nourri d'intentions qu'il ne reconnaît pas n'inscrit pas ce moment dans la totalité du mouvement de son amour. Ce don dont il refuse l'appréciation n'est plus un don. Non reçu par lui et par l'autre, il s'annule.

Tant d'acharnement à offrir n'impose-t-il pas l'amour tel que soi on l'éprouve et on le conçoit? Mais qu'en est-il pour l'autre? Se sent-il considéré, vu, entendu, connu, reconnu, ou alors ne s'y retrouve-t-il plus? Ne ressent-il pas cet excès comme une prise de pouvoir qui l'enferme, l'infirme et l'étouffe? N'est-il pas naturel qu'il s'en protège?

Pour celui qui craint d'aimer, qui a peur de trop se livrer, donner demande trop. Mais recevoir engage davantage; alors il attrape, il empoigne, il s'accapare, un peu comme un voleur, mais il ne sait pas en tirer profit puisqu'il n'a pas ouvertement reçu.

Si chacun voulait s'examiner, il verrait que la démesure ou la restriction qu'il s'impose donne l'ampleur de l'amour qu'il se refuse.

Il est vrai que celui qui donne, maîtrise, et de cela il se grise. Il se met à l'origine et à l'issue du mouvement parce qu'il n'a pas l'assurance que l'autre pourrait y entrer avec lui. Il ne connaît pas l'échange. Il ne sait pas qu'il y a droit. Qu'il en est digne. Seul le don de tout lui-même peut lui racheter du mérite. Seulement, il n'atteint jamais ce seuil. Alors, il donne ce qu'il croit être dû à l'autre. Mais il ne met son attention qu'à son propre besoin de donner et en cela il ne comble rien.

Même ce dû qu'il croit rendre, s'il n'est pas reçu, est comme non donné. Un geste à reprendre continûment qui laisse chacun vide et seul, après comme avant.

Le geste de recevoir exige une grande ouverture et une présence sans conditions. Être là, tout soi, à soi, à l'autre, avec ce qui se passe ici maintenant entre les deux. C'est une position de soi extrêmement risquée.

C'est en cela que le geste de recevoir est central dans l'amour. Même donner le requiert. Un vrai don ne donne vraiment à celui qui donne que s'il *reconnaît* ce qu'il donne. S'ouvrir, s'offrir et s'ouvrir encore, recevoir, accueillir et s'ouvrir encore... Le plus important dans ces moments de l'amour, ce ne sont pas les sentiments éprouvés. Même s'ils le sont, c'est l'acte d'ouverture. Chacun à lui-même et à l'autre.

Le geste de recevoir est central dans l'amour. Même donner le requiert.

C'est dans l'ouverture que se vit le mouvement entier de l'amour qui nous attend. C'est exactement le plus exigeant.

De la difficulté de s'aimer

2u'y a-t-il au tréfonds de nos difficultés amoureuses si ce n'est ce tragique désamour de soi, ce déséquilibre foncier qui fait reporter sur l'autre un amour que l'on s'invente pour réparer celui qui manque.

Pourtant, l'amour ne manque pas, c'est nous qui lui manquons.

Nouveau-né, enfant, il est indispensable qu'il nous vienne de l'autre. S'il ne vient pas, tous autres soins par ailleurs reçus ne nous nourrissent plus. Nous n'apprenons ni à sourire, ni à gazouiller, ni à regarder dans les yeux, ni à pointer du doigt, ni à tenir debout, ni à marcher, ni à parler... Ni bien sûr à être

> *Pourtant, l'amour ne manque pas, c'est nous qui lui manquons.*

humain et à aimer. Il nous faut de l'amour en quantité et surtout en qualité suffisante pour être la force qui accompagne et soutient notre être dans son développement. Il nous conduit à communiquer, à acquérir un sentiment d'appartenance et d'identité, à connaître la joie d'exister et d'être ce que l'on est. À aimer. Dans tous les lieux de notre existence où il a trop manqué, où rien n'a pu être rattrapé, consolé, nous manquons de notre être. Là est notre manque essentiel.

Pour que notre développement s'accomplisse au mieux de notre prédisposition, notre sensibilité particulière a à rencontrer la même chez l'être qui nous élève. C'est ainsi que son désir entraîne le nôtre à épanouir nos capacités.

Lorsque l'amour manque, nous nous sentons privé de ce qui assure notre vie. Nous protestons, nous pleurons, nous implorons, nous attirons l'attention. Si rien n'y change, nous redoublons d'énergie, mettant tout nous-même avec nos moyens d'enfant pour amener l'être indispensable à s'attacher à nous. Nous nous accrochons à ce lien incertain. À cet être insuffisamment aimant et déjà nous apprenons à diriger, contre du rien, du trop.

Où la carence blesse, nous coupons. Pour mettre de ce soi négligé au neutre et à l'ombre. À la place, se logent des trous, des points aveugles, sourds et muets ; ce sont nos propres échappatoires à la douleur. Désormais, ces lieux-là vont faire leur vie en nous, sans nous. Finalement, ils prendront trop de place.

Sans que nous n'y prenions garde, le désamour comme l'amour étant contagieux, nous l'inversons sur nous. Le manque d'intérêt dont nous avons été l'objet, nous l'appliquons à nous tandis que nous ciblons le nôtre sur l'être qui a à le reconduire vers nous. Nous avons des trésors de ressources ; entre la soumission et la rébellion, notre tempérament répond à la situation.

Très vite l'enfance nous quitte. Nous endossons une maturité factice qui, elle, ne nous quittera peut-être plus. Nous vivons déjà un impitoyable malentendu.

Double épreuve du manque, celui qui vit en mémoire et celui que, sans relâche, nous nous infligeons. Double épreuve du désamour : celui qui nous vient de l'autre et l'autre qui nous vient de nous. Personne n'échappe à l'inversion. Elle se retrouve dans le regard, dans le geste, dans le mot que nous nous adressons; c'est ainsi que nous apprenons et répétons. La survivance le veut ainsi. La mémoire généalogique aussi.

Tous nous avons eu des enfances plus ou moins imparfaites. Nous n'avons pas été assez aimés, ou pas comme il nous l'aurait fallu.

Mais qui peut bien vivre dans le manque et le désamour? Ils portent en eux tellement d'impuissance! N'ayant pu apprendre la puissance que donne la présence de l'amour de soi, nous restons avec une soif insatiable de l'amour d'autrui. La quête est insistante. Consciente et inconsciente. Puisque nous manquons d'amour à notre endroit, nous en aurons tellement pour l'autre qu'un jour, à notre place, il nous aimera. C'est espérer et anticiper beaucoup trop.

Tous nous avons eu des enfances plus ou moins imparfaites. Nous n'avons pas été assez aimés, ou pas comme il nous l'aurait fallu. Nos besoins véritables ont été méconnus, négligés, violentés ou encore surcomblés avant même que nous les ayons perçus. Dans les deux cas, nous y avons perdu. Perdu le repère, la mesure, la limite du possible, qui ont manqué pour nous situer, nous connaître, nous reconnaître, nous aimer... Depuis, nous ne savons pas bien créer, développer, entretenir, achever nos liens. Ni avec l'autre ni avec nous-même. Parce que c'est la même chose.

Il serait injuste d'imputer à nos parents nos épreuves; eux-mêmes ont été placés devant les mêmes qu'ils n'ont pas résolues; autrement, celles-ci ne seraient pas parvenues jusqu'à nous. Si vraiment nous tenions à faire justice, il faudrait remonter loin dans notre lignage, si loin qu'il faudrait s'en prendre à toute l'humanité qui est notre fonds commun à tous. C'est un travail beaucoup plus long que de s'en tenir à soi, d'examiner avec toute l'attention et l'honnêteté dont on est capable ce que l'on est réellement. Pour cela, l'autre avec lequel nous entrons en relation, approfondissons des liens, nous est indispensable. Comme nous ne pouvons applaudir qu'avec nos deux mains, nous ne pouvons aimer, même soi, sans qu'il y ait un autre. Tel qu'il est, cet autre est toujours celui qui mène à soi. Et à l'amour.

Nous ne pouvons donner ce que nous n'avons pas, ou plutôt ce que nous ne nous donnons pas, comme nous ne pouvons recevoir d'autrui ce que nous ne recevons pas de nous-même. Lorsque nous déplaçons notre centre d'amour, l'ancrons en un être, nous vivons en porte-à-faux. Nous qui ne nous aimons pas, nous qui croyons réparer en n'aimant que l'autre, il se pourrait que nous n'aimions aucun des deux. Et que nous exigions beaucoup trop. Sans combler rien de notre manque intérieur.

> *Comme nous ne pouvons applaudir qu'avec nos deux mains, nous ne pouvons aimer, même soi, sans qu'il y ait un autre. Tel qu'il est, cet autre est toujours celui qui mène à soi. Et à l'amour.*

Comment nous pénétrer de l'amour de l'autre si nous ne sommes pas ouvert au nôtre? Dans quel réceptacle l'accueillir, le recueillir et le chérir? L'amour reconnaît l'amour. L'amour non reconnu, n'étant pas reçu, est comme jamais donné.

Qui serait né pour nous aimer à notre place? Pas même notre mère, et c'est tant mieux! Ne créons-nous pas, nous-même, le doute sur notre personne et notre amour en faisant fi de nous? Si nous n'existons pas pour nous-même, le pouvons-nous vraisemblablement pour un autre?

Sans amour adressé à soi, ce lieu intérieur devient un vide intérieur.

L'amour est toujours là, mais nous, nous n'y sommes pas.

De la difficulté de se connaître

Ce que nous sommes se rapporte essentiellement pour nous à l'expérience que nous faisons de notre être. Expérience qui ne peut s'isoler de celle de l'autre dont tous nos liens font l'épreuve. La compréhension de soi part de celle de la *vie ensemble* dont notre existence est issue. Elle fouille l'histoire de notre coexistence de laquelle il sera bien difficile — impossible? — de nous extraire pour cerner notre être comme une instance pure d'échanges et de mélanges. Malgré l'ampleur de la difficulté, la démarche est

> **La compréhension de soi part de la vie ensemble *dont* notre existence est issue.**

nécessaire. C'est elle que nous tentons de mener à bien en revenant à nos racines, en fouillant les empreintes qu'elles déposent, en remettant en question notre identification aux parents, en scrutant comment nous revivons ces héritages dans nos liens d'amour et tous les autres. Notre pensée réflexive revient dans la mémoire qui nous est accessible et, selon la perception qu'elle en a, reformule un récit de notre être-ensemble, en comprend et en déduit ce qu'elle peut pour définir nos marques. Un travail de connaissance de soi ni facile, ni direct, ni sûr, mais utile et nécessaire. Dont les inexactitudes et les insuffisances n'empêchent pas notre sélective compréhension d'être amplement significative.

Il est vrai que notre pensée, dans son désir d'autosuffisance, ne simplifie pas la tâche. Elle ne doute pas de faire fonds de ses pouvoirs d'objectivité — discutables et discutés — pour cerner notre réelle subjectivité. Elle croit pouvoir nous connaître, nous changer, nous rendre vrai. Nous aurons à soumettre ses propositions à l'épreuve de notre expérience vécue.

FRAGMENT VII

Se connaître pour changer

*C*e qui nous incite à revenir sur notre expérience, à reparcourir notre existence, cherche principalement à refaire notre vie, à vivre un autre amour, à devenir une autre personne. Dit franchement, nous voulons nous connaître pour changer. Pour nous changer. Nous pensons que la compréhension démantèle les rouages de la fatalité ou plus exactement nous en octroie le contrôle. Nous allons nous recréer à notre avantage, refaçonner des rapports qui répondent absolument à nos besoins, en somme, alléger les misères desquelles nous étions jusque-là victime.

Ce travail représente un sacrifice et un investissement qui ne peuvent manquer de rapporter ces changements. Dans une durée à établir, puisqu'il n'est plus question de perdre du temps.

Au fil des jours, il se peut que l'entreprise modifie quelques-uns de nos points de vue, et pourtant, elle ne donne pas l'évidence de la transformation radicale anticipée. Nos rapports amoureux piétinent; notre existence conserve ses tracas et même ses grands problèmes; notre métamorphose personnelle n'est guère visible.

Nos rapports amoureux piétinent; notre existence conserve ses tracas et même ses grands problèmes; notre métamorphose personnelle n'est guère visible.

Il manque quelque chose pour que tout ce savoir qui nous concerne fasse corps avec nous, transforme nos amours, notre vie et nous-même selon ce que nous en avons prévu. Nous nous sentons comme en dehors de cette nouvelle connaissance, elle-même à distance de notre ressenti, et cette fable de notre vie, dont on peut éloquemment causer, semble encore celle d'un autre. Il manque des liens entre connaissance et reconnaissance qui soient vécus dans les tripes. Il manque une appropriation charnelle de ce que l'on découvre dans les faits. Nous demeurons sur notre faim. Celle profonde et avide de moments proprement mystiques où ce que l'on sait de soi coïncide ici maintenant à l'expérience que l'on en a.

Tant que notre désir de changement dirige notre quête, un sentiment d'impatience et d'échec peut couvrir les vraies qualités de notre démarche.

Se connaître pour être vrai

*L*orsque notre désir de changer se mue en un désir d'être vrai, il se fait un tournant. Être vrai ne s'acquiert pas seulement en diagnostiquant nos faux-semblants, en répertoriant nos écueils, nos forces, en rattachant les événements actuels à ceux du passé et même en suivant intellectuellement le fil des redites entre les générations; tout cela est indispensable, réellement utile et nécessaire, mais pas suffisant. La pensée ne peut revenir à l'expérience qu'après coup. Elle n'a les moyens ni de la devancer ni de la savoir déjà. Elle ne peut nous en soumettre qu'un savoir différé et certainement partiel et partial. Il faut que cette connaissance même insatisfaisante fasse une descente en nous, ne soit plus une compréhension à distance mais s'incorpore et résonne avec les sensations, les émotions, les sentiments qui lui sont inhérents. Ce travail-là ébranle tout l'être, c'est pourquoi nous lui résistons férocement. Il ne peut plus s'épancher en de seuls mots, il est besoin des pleurs, des sanglots, des cris, des hurlements, des gestes, des mouvements, du souffle. La mémoire fait alors retour sur elle-même, en nous-même sa substance et en notre ventre son puits de *souvenance*. Nous avons à offrir notre corps, pas seulement notre tête, pour qu'elle s'y retrouve, pour qu'elle prenne sa place au sein de ses vieilles traces en attente de notre prise de conscience. À lui laisser le temps de gestation, de

Ce travail-là ébranle tout l'être, c'est pourquoi nous lui résistons férocement. Il ne peut plus s'épancher en de seuls mots, il est besoin des pleurs, des sanglots, des cris, des hurlements, des gestes, des mouvements, du souffle.

maturation dont on ne peut rien connaître d'avance. Dont va venir une autre réflexion, celle qui devrait mener à découvrir et à désapprendre ce que l'on n'est pas et à libérer ce que l'on est vraiment. Une reconnaissance de soi à naître à chaque moment dans le réel vécu tel qu'il est. C'est pourquoi elle ne peut être happée et capturée par la pensée qui la prendrait faussement pour une certitude définitive. Ce cheminement a besoin de notre disposition d'ouverture, de notre présence attentive, de notre accueil et de notre consentement à risquer la découverte.

Être vrai, coïncider du mieux possible avec ce qui surgit de notre vérité, est à repositionner sans cesse. Y concourent notre émotion, notre sentiment, notre volonté, notre intuition et bien sûr notre réflexion. Se comprendre n'est pas assez, même si cela participe. C'est aller plus loin, jusqu'où gisent la victime, le bourreau et tous les autres qui sont nos hôtes. Nous avons à les rencontrer, à les examiner, mais aussi à les ressentir, à les entendre vivre en nous et par nous, et surtout à les accueillir cordialement comme nôtres.

C'est de reconnaissance que chacun a tant besoin. Pour se réconcilier avec ce qui de soi n'a pas été reconnu ni par les autres ni donc par soi. Notre vie a-t-elle été indésirée? Notre être tel qu'il est, notre sexe, notre tempérament ont-ils été confirmés, reçus et recevables? Cette méconnaissance remonte généralement les générations comme un fil d'Ariane qu'il faut ramener à soi et considérer. Reconnaître ce qui fut déposé en soi pas pour s'y lover mais pour ne plus le transmettre.

La reconnaissance est l'aboutissement de la connaissance de soi. Elle courbe notre être vers sa vérité. Elle nous donne le courage de la réaliser. Elle fait surgir une autre parole. Nettement moins éloquente, forcément émue, balbutiante ou intense et même violente, mais juste. Une parole qui prend corps, ancrée dans nos racines, directement sortie de nos tripes, de notre cœur. Une parole vraie. Une parole vive qui est on ne peut plus proche de celle de l'amour. Qui ouvre une même voix en celui ou celle qui la reçoit.

Être vrai, soi, fait être vrai l'autre.

Être vrai, soi, fait être vrai l'autre.

Être ce que l'on est

Ce que nous sommes, le pire, le meilleur, ce qui nous arrive, le bonheur, l'amour, la joie, l'inconscience, la honte, la faute, la perte, la peur, le désespoir, la haine, la rage, l'impuissance, le plaisir et la souffrance sous toutes ses formes, tout cela sans exception, nous avons à le rendre nôtre et à le reconnaître. Dans le sens de nous mettre en position de recevoir tout ce qui nous regarde, nous touche, nous anime comme nôtre. Parce que c'est en nous que cela se vit. Et c'est de notre existence et de notre être qu'il s'agit. Sans qu'il ne soit question de justification mais de reconnaître réellement notre propre manière d'être et d'exister.

Aucune stratégie, soit-elle la plus brillante ou la plus rusée, n'aura l'effet de cette simple et directe appropriation.

Toute notre vie, nous avons enfermé dehors ce qui nous était désagréable, désavantageux, irrecevable de nous-même, croyant nous en garder. Cela nous a usé, nous a faussé, et nos problèmes ont persisté. Si nous faisons une fois l'expérience d'entrer dans un état dont nous nous étions coupé, de nous y donner, de nous y abandonner, de le laisser pénétrer notre substance, comme il l'entend et nous de le recevoir, corps abandonné, cœur en éveil, esprit ouvert, de l'écouter intérieurement, entièrement, de le regarder directement, de le laisser prendre sa place, toute sa place, sans agir, sans réagir, sans intervenir par la pensée, juste accueillir entièrement et être pleinement là... pour cet état-là... en cet être-là, soi-même.

Qui entre dans cette expérience une seule fois apprend qu'en elle il se passe des choses d'un autre ordre.

Les ingrédients nécessaires ?

Le consentement, l'ouverture, l'attention, la présence, l'accueil. Tout cela est à notre portée. Nous pourrions y avoir pensé. Nous y avons pensé. Nous sommes resté à la pensée.

Ces qualités ont besoin d'être d'une haute *qualité* pour faire toute la différence dont elles sont capables. Elles n'ont pas leur bonne place dans l'agitation et la fébrilité de nos existences. Ni dans notre avidité ni dans notre souci d'avoir raison. Elles-mêmes affleurent et disparaissent. La position est labile. Nous avons à l'appeler, à nous la rappeler, à la reprendre sans cesse. C'est dire l'opiniâtreté et cependant la ductilité que ces attitudes requièrent. D'autant qu'elles doivent être là pour tout ce qui les nie et les empêche. Puisque tout a sa place et sa raison d'être accueilli de notre être.

Se connaître pour se reconnaître

*N*otre être aspire à devenir conscient de ce qu'il est et il veut être su et reçu tel qu'il est. Connu et aimé. Reconnu. Alors il peut devenir ce qu'il est. Et n'être que ce qu'il est.

Se reconnaître est davantage que de se connaître. C'est une étape plus avant, plus au fond, continue et sans limites. C'est une œuvre qui appelle toutes nos forces, toutes nos intelligences. Qui nous oblige à nous fréquenter sur tous les fronts pour nous dénuder de partout, nous mettre à l'épreuve de ce qui résiste, de ce qui se ferme, de ce qui dénie. De ce qui est si vulnérable et si inhumain aussi.

Se reconnaître, c'est se connaître par cœur et malgré tout.

Cette connaissance aimante est l'affaire de tout notre être. Tout notre corps y participe. Qui se laisse pénétrer et labourer par ces lambeaux de soi revenus à la vie. Il mord, il broie, hache menu ce qui nous mord, nous broie, nous hache menu. Il ingurgite et régurgite. Il *prend avec* et puis il rend. Nous voulons tellement être nous et vrai, mais cela non, nous ne le voulons pas. Nous rejetons, nous luttons pour n'être que ce que nous aimons de notre être. Nous en voulons au monde entier de ne pas nous avoir permis d'être parfait. Devant tant d'impuissance, écrasé par l'évidence — on en meurt ou en renaît —, voici que nous nous rassemblons, appelé par quelque intérieure puissance, nous nous donnons la main, recueillons sur notre sein ce soi tout fripé, tout ému, si désolé de n'être que cela, mais un *cela* si proche, si familier qu'aucune parcelle ne veut et ne peut s'en déproprier.

Se reconnaître, c'est se connaître par cœur et malgré tout.

Ce qui est connu de cette manière essentielle, globale et expérientielle l'est comme une vérité irrévocable. Une évidence toujours sue. Point d'étrangeté, juste un délicieux étonnement, un sentiment exquis d'être revenu à soi, chez soi.

C'est un long chemin que celui-ci, celui de notre éternel dévoilement. Une expérience de plus en plus consciente de notre manière d'exister, d'être ce que l'on est et d'aimer. Nous nous heurtons plus franchement aux limites et aux impossibles que personne jamais n'aime se reconnaître. Tandis que nous allons nous repaître sans cesse dans nos propres terres, nous tâchons de nous accepter de mieux en mieux.

C'est un long chemin que celui-ci, celui de notre éternel dévoilement. Une expérience de plus en plus consciente de notre manière d'exister, d'être ce que l'on est et d'aimer.

Cette phase advient à travers un rapport étroit avec notre corps et un éveil de notre cœur qui accueille ce qui est mis à découvert. Une connaissance autre naît, qui nous met en résonance intime avec notre existence. Notre vie y trouve, par touches successives, de quoi se réconcilier avec les vies qui l'ont précédées, celles qui la continuent et celles qui se joignent à elle. Notre cœur peut offrir à l'autre ce qu'il s'offre à lui-même, connaître et reconnaître son être avec amour. Et où l'autre se sent reconnu, une voie lui est fournie pour se reconnaître lui-même et pour aimer.

Reconnaissance d'une peur vécue

*U*ne peur dont nous refusons violemment l'existence. À plus forte raison son appartenance. Dès son annonce, tout de nous est en combat, en fuite, ce qui revient à la jeter dehors. Il faut qu'elle s'évanouisse avant qu'elle ne nous envahisse et ne nous anéantisse.

Un long travail nous la rend plus intelligible. À distance d'elle, nous saisissons d'où elle a dû venir, pour quoi et comment elle s'interpose dans nos velléités d'intimité, d'engagement personnel, comment elle ferme ou repousse notre ouverture à l'amour dont notre vie a tant besoin. Nous ne savons pas tout d'elle, mais nous pouvons la penser, la verbaliser avec assez d'aisance, et à ce point de fréquentation clandestine nous sommes disposé, même si ce n'est qu'officieusement, à la laisser venir à nous. Et nous à aller vers elle.

Ce qui va faire toute la différence est cet œil au-dedans qui s'attache à être là. Il est une présence ni absolument assurée ni rassurée, mais qui persiste. Qui fait comme une terre sous nos pieds.

L'expérience pourrait se dérouler ainsi.

Elle menace. Elle assaille. Affolé, tout notre être est en arrêt. À la fois pétrifié et ne voulant que bondir hors de lui-même. Mais un témoin veille. Un consentement fut agréé. Il nous offre son bras comme passerelle. Nous, nous ne le voulons pas. Rien ne nous est plus contraire que d'être là alors que la peur envahit l'Univers qui ne nous est plus viable.

Ce temps premier d'horreur ne passe pas, il s'éternise. Chacun de nous le vit à sa manière mais dans un paroxysme personnel à la limite du soutenable. Ce qui va faire toute la différence est cet œil au-dedans qui s'attache à être là. Il est une présence ni absolument assurée ni rassurée, mais qui persiste. Qui fait comme une terre sous nos pieds.

La peur fait son œuvre de peur. Elle prend notre corps pour son champ de terreur. Notre mental ne le supporte pas. Il multiplie ses litanies. Il veut faire taire sa peur de notre peur. Le témoin en nous guette, mais ne retient rien. Il tente d'amplifier notre souffle, c'est tout. Il suit le cours et constate toute volonté de le contrecarrer, de le fuir, de le modifier. Il est présent, avec et malgré tout. Et c'est là notre plus fructueuse victoire.

Cet événement infiniment intime et intense n'est vécu qu'en y étant prêt de l'intérieur. Lorsque l'on comprend que rien de cet ordre de profondeur et d'unité ne survient sans devenir proche de soi, sans cultiver l'intériorité nécessaire et sans revenir à soi sans cesse plutôt que de s'acharner à faire lieu et cause de tout en autrui. Pourtant, lorsqu'on la vit, et particulièrement les premières fois, l'expérience est exactement celle que nous n'aurions jamais voulu connaître, qui nous laisse à ce point désarmé et à la merci, mais qui deviendra celle que nous n'aurions jamais voulu éviter de vivre.

Accueillie selon notre capacité d'aujourd'hui, la peur se sent suffisamment autorisée à être connue. Et nous suffisamment autorisé à avoir peur. Notre peur reconnue légitime reconnaît qu'il nous est légitime d'avoir peur. Là est une autre incommensurable victoire.

À chaque reviviscence de l'expérience, nous déployons plus d'ouverture, plus de présence, plus d'accueil. Nous suivons plus calmement le surgissement, l'envahissement, la culmination et puis la dissolution de *notre* peur.

Ce moment-là, cette fin, cet après, cet état de vide et de plénitude à la fois, de légèreté et de liberté, qui de nous voudrait jamais le manquer ?

Un souffle neuf, tout en fraîcheur, tout en ampleur, suit l'expérience. C'est un don inestimable, une forme de renaissance.

Qui laisse plus de clarté de vision, plus de flamme dans le cœur, plus de simplicité d'être, plus de sobriété dans l'attitude.

Non seulement nous nous sommes exposé à l'expérience, mais nous sommes entré en elle tandis qu'elle nous pénétrait au vif. Nous avons *été là avec* et *pour* elle, avec et pour nous. Nous avons fait nôtre du dedans la peur. Depuis toujours enfermée dehors, projetée sur les autres, dès que nous la recevons, elle n'a plus besoin de persister sous ses vieilles formes ni de s'accrocher pour quémander notre écoute. Plutôt que de nous acharner à l'éliminer, nous l'avons mise à nu tandis que nous l'étions aussi.

Ce qui est advenu est de l'ordre de la connaissance directe. Nous *savons* notre peur de tout notre être. Nous la voyons, nous la situons dans notre corps, nous l'entendons, nous la goûtons, nous l'éprouvons sans qu'aucune de nos particules ne l'ignore. Elle nous est devenue consubstantielle.

La peur devenue notre peur, objet intime de notre attention, sujet de notre accueil, n'a plus ses mêmes ressorts. Et nous, plus détendu, nous nous ouvrons davantage à elle qui nous apprend toujours plus sur elle-même. Énorme est ce qu'elle dévoile que notre compréhension antérieure n'avait pu déceler. Par exemple, qu'elle peut dissimuler une colère bien plus monstrueuse qu'elle, de laquelle elle alimente sa violence et son sens du tragique. Notre survie a su que la colère nous était bien plus périlleuse que la peur qui aurait repoussé les êtres dont l'amour nous était nécessaire ; nous l'avons, alors, recouverte de cette frayeur qui nous rendait vulnérable plutôt que redoutable.

Nous ne sommes plus si attaché aux plus et aux moins de notre petit moi, mais bien davantage à cultiver une qualité d'être.

Cette prise en direct de notre manière d'être et d'exister dénoue plus large que ce qui concerne l'expérience propre. Elle déficelle des conflits internes, assouplit des identifications solides et des conditionnements robustes. Il arrive même qu'elle nous en libère. Nous ne sommes plus si attaché aux plus et aux moins de notre petit moi, mais bien davantage à cultiver une qualité d'être.

Il nous devient impérieux, quoique de plus en plus naturel, d'être ce que nous sommes. D'être simplement soi, vrai autant qu'il se peut ici maintenant. C'est autre chose que de vouloir changer.

Rien n'est radical ni définitif, mais au moins sommes-nous ouvert et présent à nos guerres intestines, à notre participation de ce qui nous vient de l'autre. Le défi est d'exercer au quotidien ces qualités intérieures de présence, d'ouverture, d'accueil, de reconnaissance de soi jusque dans nos rapports à l'autre. Ces aspects qui nous mènent vers notre vérité sont ceux mêmes qui ouvrent à l'amour et à aimer. Soi comme l'autre, bien sûr.

Fragment VIII

La famille intérieure

*C*e mouvement éternel de venir à soi, de se reconnaître, d'approcher la nature de son être, de s'aimer nous rend plus intime à notre appartenance filiale, familiale, humaine et cosmique... L'amour amoureux s'insère dans cet ensemble. Il nous lie bien au-delà de ce que l'on pourrait savoir. À deux, ce que nous remettons à existence résonne avec ce qui attend de nos ascendants. Je crois à la continuité, à la solidarité du lignage. Rien de mieux que la force de l'amour ne peut les réaliser. Ce que chacun porte en lui à actualiser est exactement ce que l'amour de l'autre va exiger. Mais c'est aussi ce qui est à accomplir pour nos lignées.

Lorsque l'amour n'a pas cette lucidité, il trouve que l'autre lui demande trop, qu'il ne l'aime pas assez, qu'il lui veut du mal. Dès que la connaissance et l'amour s'allient, que l'ouverture et la présence intérieure nous déploient à plus que soi, mais à l'autre, mais à tous ces autres dont nous sommes le chaînon actuel, alors quelque chose a lieu. Un renversement. Nous vivons dans notre chair, dans notre sang notre famille intérieure. Et elle est nous-même.

Notre réelle nature n'est pas le résultat d'une identification primaire et inconsciente, c'est la présence vivante des autres, cette longue lignée qui va aux racines de l'humanité, qui forme cet être singulier et unique que nous sommes.

Nous vivons dans notre chair, dans notre sang notre famille intérieure. Et elle est nous-même.

Nous connaissons notre prochain comme nous-même. Nous aimons notre prochain comme nous-même. Notre prochain, c'est tous les autres et nous le sommes pour chacun. Cela n'assure ni la qualité de nos liens ni notre sagesse. Mais notre disposition d'ouverture et d'accueil le peut. Tel est le chemin que nous pouvons faire nôtre. Il nous rend notre histoire, nous aide à comprendre le fond des choses et il sert l'évolution de notre être. Il travaille à la vitalité de l'amour et peut nous rappeler notre humanité sacrée.

Mais il n'est pas le plus facile.

L'amour

L'amour ne s'apprend pas, ne se développe pas, ne se force pas, il se découvre. Ce qui s'ouvre, c'est notre être qui est lieu d'amour.

Le mot *amour* n'est pas sûr. J'en appelle à l'expérience. Au sentiment du dedans, dépouillé de références. Je ferme les yeux. Je glisse. J'éprouve. Ce que je ne peux dire que par métaphores maladroites. Un doux feu, un intime éveil, une délicate crépitation de l'âme, une ondulation frémissante dont le centre n'est pas loin du cœur. Et sous ma pleine attention, il se propage... Je ne suis plus que centre cœur. Je me sens animée. Pas énervée, sereine. Pleine. Aimantée.

Je suis en état d'amour. Comme je peux être en état de peine ou de prière. Je suis aimante comme je peux être vivante, dès que je m'y offre entièrement. Je l'éprouve pour rien que je sache, que je poursuive, espère ou désire. Cet état est plutôt un effet de présence. D'une présence immédiate et totale. Un consentement à m'offrir, à m'ouvrir, à être là vraiment. Un accueil ouvert à tout ce qui peut advenir.

Cet état a lieu sans qu'aucune qualité du moi n'y soit pour quelque chose. Ce n'est pas que je sois bonne, que j'aie besoin ou que je sois amoureuse. C'est une constatation surprenante que celle-ci. L'état avéré si intime, si inhérent, qui m'est si délicieux, ne me définit nullement. Il n'encense pas ma petite personne. Il est sans cause que je connaisse et sans objectif, et pourtant cette plénitude qui est mienne me dit que je suis son lieu.

Sont-ce nos préoccupations et occupations incessantes, nos soucis, nos attentes, nos violences, nos peurs, nos ressentiments, nos bavardages obsédants, tout ce qui agite nos existences, qui suppriment ou frelatent l'expérience de l'amour?

Pour être si inatteignable si souvent et si longuement, pour être si dénaturé, l'amour doit se dissimuler sous beaucoup d'écrans — de murs — pour être exact. Sans son énergie librement vécue, c'est au-dedans une sorte d'apathie, de mort intérieure, et le sentiment de manque n'est peut-être rien d'autre que cette absence-là. En nous, il y a quelqu'un d'important qui manque. Il y a un amour qui ne se vit pas.

Être plein de ce silence est non viable. Nous nous ruons sur l'autre à mettre à notre place, ou nous-même, à nous glisser sous sa peau. Nous créer enfin un refuge. Pour survivre. Pas pour vivre en lieu sûr. Pour cela, il n'y a que l'ouverture, le consentement, la présence entière et le risque à prendre. Celui de se savoir seul sans pourtant se sentir étranger à soi ou à l'autre. Celui de s'aimer même en ce que l'on n'aime pas de soi.

Mais l'amour pour soi manque. Du moins, nous n'y accédons pas. Nous prenons celui de l'autre pour supprimer l'absent. Nous croyons toujours que l'amour vient de l'autre, comme lorsque nous étions petit. Et si l'autre en lui-même et envers nous en a manqué, alors nous ne savons plus bien où il pourrait se loger. L'amour réside là où nous oublions de l'y chercher. En nous-même.

C'est quelque chose de cet ordre qui fonde notre désordre. *Aimer trop*, avoir peur d'aimer, et mille autres désamours, c'est tout à fait inconnu à la vraie nature de l'amour. Je maintiens que l'ordre peut revenir. Il nous attend. À condition d'être là, présent à notre être. À ce qu'il est, non à ce qu'il devrait être. Car c'est de notre être tel qu'il est que l'amour vient. Un amour incarné. Un amour vécu. Un amour qui ne distingue pas l'autre de soi et soi de l'autre. Qui aime tout simplement. Puisque là est sa nature.

> *Nous croyons toujours que l'amour vient de l'autre, comme lorsque nous étions petit. Et si l'autre en lui-même et envers nous en a manqué, alors nous ne savons plus bien où il pourrait se loger. L'amour réside là où nous oublions de l'y chercher. En nous-même.*

Lorsque je suis dans l'expérience vécue, j'éprouve deux aspects de la nature de l'amour. L'amour déjà là bien avant moi, me dépassant tout en m'incluant, sans origine et sans finalité que je puisse mentaliser. Il est à tous également, pour tous universellement, non parce que nous le méritons ou que nous en avons besoin, mais comme une continuité dedans, dehors, partout... qui ne demande pour être nôtre que notre pleine ouverture et attention et notre conscience. Nôtre, pas comme une possession, mais comme une énergie éternellement présente à notre être, à notre vie. Et rayonnant vers le reste du monde à l'infini. Alors, pourquoi cet amour-là ne s'adresserait-il pas à l'être que l'on dit aimer?

L'autre, l'amour dont on parle trop, revêt de multiples formes et qualités. Il est sentiment, attraction, émotion, passion, vertige, délire, inclination irrépressible vers un objet — même matériel — dont on a absolument besoin pour perpétuer la satisfaction et même le désir. C'est un état changeant, éphémère, relatif, conditionnel, infiniment personnel. Il faut pour l'entretenir des raisons d'être, des buts et même des calculs. Il donne lieu à l'envie, à la jalousie, à la répulsion, à la trahison.

Il se sent trompé ou contenté. C'est un amour de personnalités entre des individus séparés, définis, conditionnés, qui cherchent chacun à être objet d'amour et à en être comblé.

Chacun de nous connaît en soi l'existence de ces deux aspects en un assemblage singulier qui fait la particularité unique de notre amour vécu.

Ce qui appelle en chacun, n'est-ce pas de réconcilier ces deux amours. L'un de l'âme, l'autre de ce monde. Mais les deux venant de la même source : notre être. Vécus au cœur d'une même existence, la nôtre. Celle-ci à jamais partagée avec l'existence de l'autre. C'est en ce lien-là justement que l'amour œuvre.

La dualité de l'amour ne devrait pas être irréconciliable, même si elle est incontournable, puisque humainement constitutive. À l'instar de la réconciliation qu'amorce la reconnaissance de soi, celle de leurs différences reconnues devrait conjoindre plutôt que séparer ces deux amours.

Nous pourrions entreprendre un réagencement interne de nos aptitudes et inaptitudes à l'amour en élargissant le cadre et les moyens de leur existence, et nous, en nous offrant globalement à l'épreuve de leur expérience. Notre horizon amoureux en serait plus ouvert et plus vaste. Ce qui est illustré par la reconnaissance de notre peur.

Nous aurions à ne pas entretenir la coupure, qui nous fait réagir d'avance à ce qui fait peur, nous blesse, nous prive dans l'amour, mais à nous laisser atteindre comme, du reste, par son abondance et par son bonheur. Dieu sait tout ce que nous pourrions en apprendre! Par exemple, de nous reconnaître même esclave, même victime, même bourreau, même enchaîné par cet attachement avide, accueillant le fait que ce que nous pourrions reconnaître pourrait être réorienté et mis hors jeu plutôt que nié, dans la mesure de notre réconciliation avec ces aspects.

Le plus déconcertant est toujours qu'il n'y a pas réellement de techniques ni de formules magiques, ni même aucun chemin tracé. Il n'y a que nous avec ce que nous sommes, ici maintenant, et que l'amour tel qu'il est, qui ne se fabrique pas, lui non plus, mais se crée à chaque instant, compte tenu de nous, de l'autre et des circonstances.

Saurons-nous allier heureusement dans nos amours l'éphémère et l'intemporel, la magie de la passion et la sagesse du détachement ?

Être aimant

Si l'on savait que même la poussière d'amour est précieuse, indestructible, indélébile, sacrée, que le plus bref amour ne meurt pas, qu'une rencontre d'un moment ouvre une turbulence qui ne s'éteint pas, que la part la plus opaque de l'amour est encore éblouissante de lumière, que l'amour sous quelque forme dépose une tendre mémoire qui veille sur l'être, alors nous serions plus consentant à nos errances, plus accueillant de nos tourments, plus complice à l'égard de nos maladresses, de nos défaillances, de nos excès. Si nous savions qu'aimer a lieu en soi, sans cause, sans distinction d'objet — l'autre ou soi — sans but autre que celui de vivre notre être dans son essentielle vérité... Si nous savions combien d'intelligence l'amour universel recèle, nous lui prêterions notre être le plus personnel pour qu'il le déploie...

Il y aurait expérience totale. Présence de tout notre être. Capacité d'aimer le fini et l'infini. Volonté de souffrir l'éphémère, la perte sans les souffrir d'avance et pour toujours. Accueil du temps de nos blessures, de l'avènement et de l'événement de l'autre. Il y aurait vérité de l'amour.

Si nous savions qu'aimer a lieu en soi, sans cause, sans distinction d'objet — l'autre ou soi — sans but autre que celui de vivre notre être dans son essentielle vérité...

Nous n'aimerions plus jamais trop, ni pas assez, ni mal. Nous deviendrions suffisamment aimant.

Après lire

*L*a nature de l'amour est d'aimer et chacun reçoit l'amour de naissance. Pourquoi n'arrivons-nous pas à le cueillir à la source et à l'offrir naturellement à l'autre et à soi-même? Ce monde tout de lumière de l'amour, pourquoi n'est-il pas accessible à volonté?

En nous s'enchevêtrent le désir d'aimer, le besoin d'être aimé et puis la crainte que l'amour ne dure. Ce qui n'est pas à première vue compatible et rassurant. Nous allons d'un appel à l'autre, ne sachant comment bien garder un bonheur qui se dérobe malgré nos efforts. Les plus doux moments, les instants les plus joyeux, les communions les plus extatiques n'éliminent pas le difficile si nous en restons à leur caractère éphémère.

Heureusement, le rêve d'un amour cosmique, bon, inaltérable, nous habite, même s'il s'éclipse par périodes orageuses, jusqu'à nous le rendre improbable. Autre chose que le pénible, qui n'est quand même pas la tonalité dominante, veut prendre place. Autre chose aussi que l'emportement amoureux initial. Une autre phase s'instaure qui est quelque peu déconcertante, mais non absurde. Une maturation du sentiment amoureux, un approfondissement et un élargissement du lien veulent venir. Ils demandent d'aller au fond de soi, très au fond, de pénétrer le sentiment de manque de notre condition humaine, de dépasser le cadre de la petite histoire et de s'offrir à l'œuvre de l'amour. Celle qui nous parais-

> *Nous allons d'un appel à l'autre, ne sachant comment bien garder un bonheur qui se dérobe malgré nos efforts. Les plus doux moments, les instants les plus joyeux, les communions les plus extatiques n'éliminent pas le difficile si nous en restons à leur caractère éphémère.*

sait si difficile et qui devient le passage obligé pour initier notre être à vivre le cœur ouvert.

Quelque chose s'installe. Qui n'est pas encore la voie décidée par les amants. Ils ne sauraient imaginer les chemins qu'elle emprunte à contre-courant de leurs attentes initiales. C'est pourtant un début, moins mirobolant peut-être que le premier, moins assuré, mais moins provisoire et plus essentiel, venant à nous sous des traits désarmants, parce que peu fréquentés.

Il faudra cheminer, se concerter, consentir à des deuils et puis s'offrir enfin à cet amour qui n'habite pas encore l'esprit des amoureux. Mais il vient. Parce qu'il est notre irréductible nécessité et notre infinie possibilité. Il nous agrandit de l'être auquel il nous ouvre, des générations avec lesquelles il nous réconcilie et du besoin d'être vrai. Reste à le recevoir, ici, maintenant, tel que nous sommes et dans le réel de notre vie quotidienne, autant que faire se peut.

Y renoncer serait manquer à notre cœur, à notre corps, à notre âme. Et à l'esprit de notre vie.

Achevé d'imprimer en novembre 1997 chez

à Boucherville, Québec